Le joueur de flûte de Hamelin

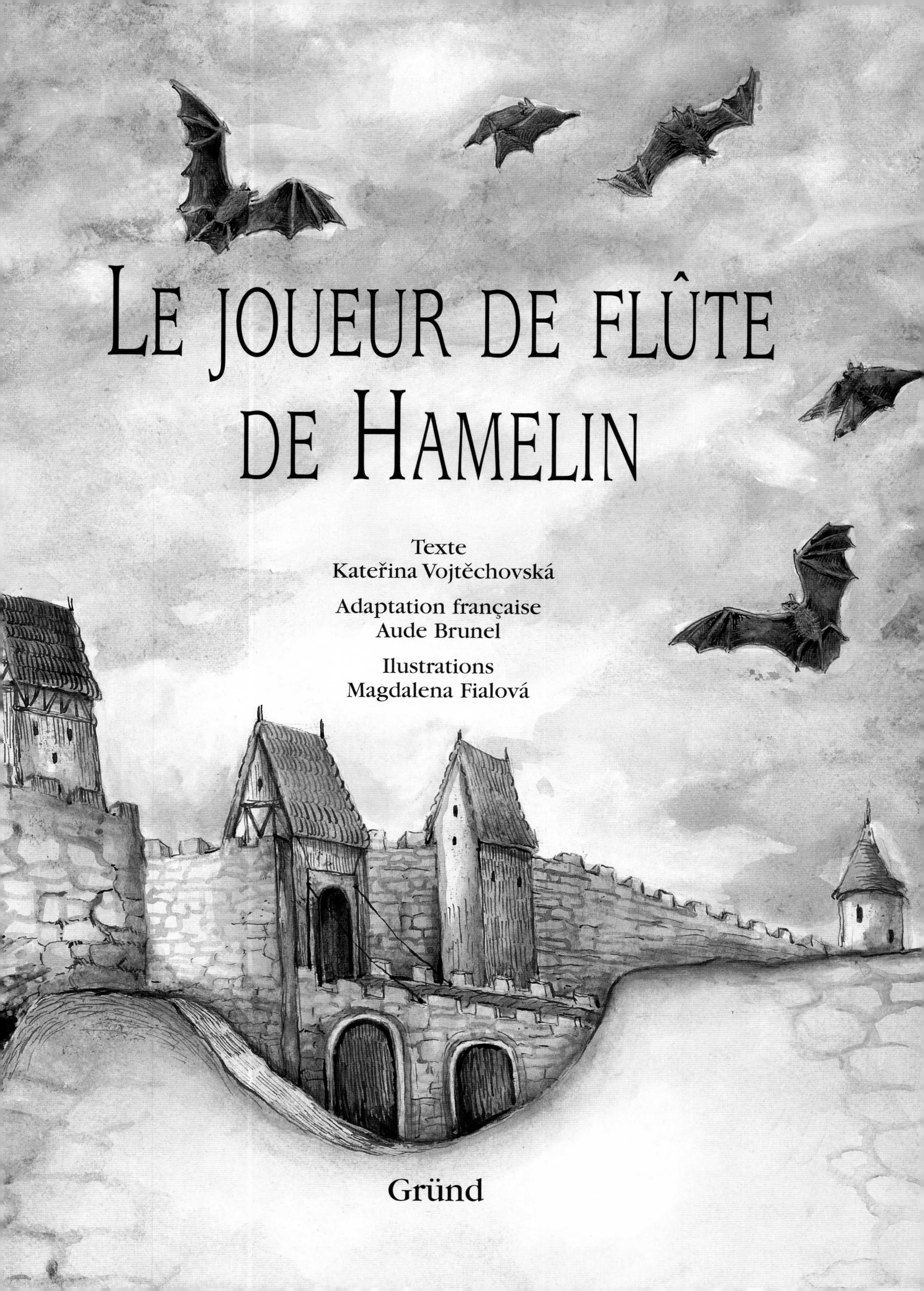

Le joueur de flûte de Hamelin

Texte
Kateřina Vojtěchovská

Adaptation française
Aude Brunel

Ilustrations
Magdalena Fialová

Gründ

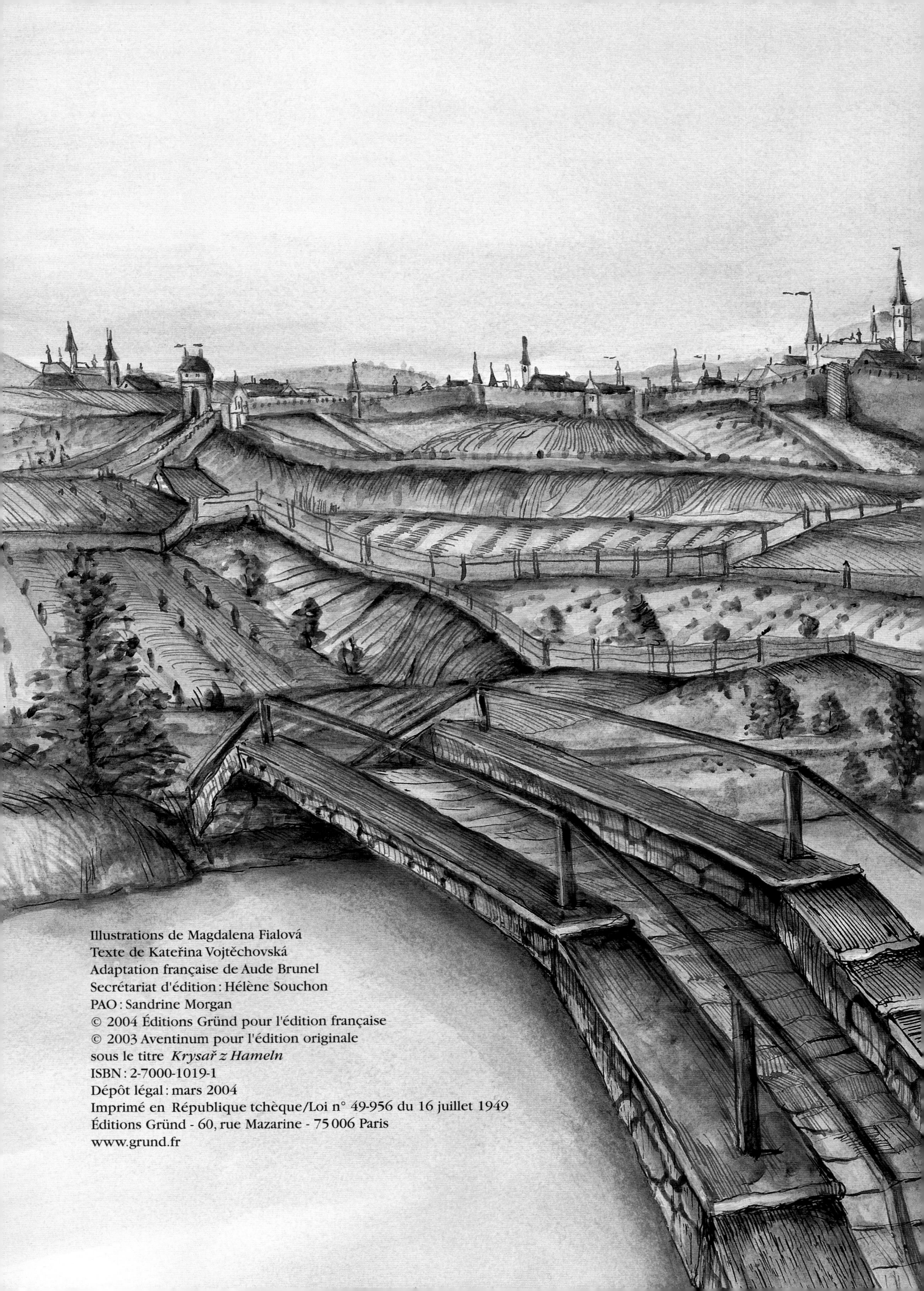

Illustrations de Magdalena Fialová
Texte de Kateřina Vojtěchovská
Adaptation française de Aude Brunel
Secrétariat d'édition : Hélène Souchon
PAO : Sandrine Morgan

sous le titre *Krysař z Hameln*
ISBN : 2-7000-1019-1
Dépôt légal : mars 2004
Imprimé en République tchèque/Loi n° 49-956 du 16 juillet 1949
Éditions Gründ - 60, rue Mazarine - 75 006 Paris
www.grund.fr

Kuppenberg
Hameln

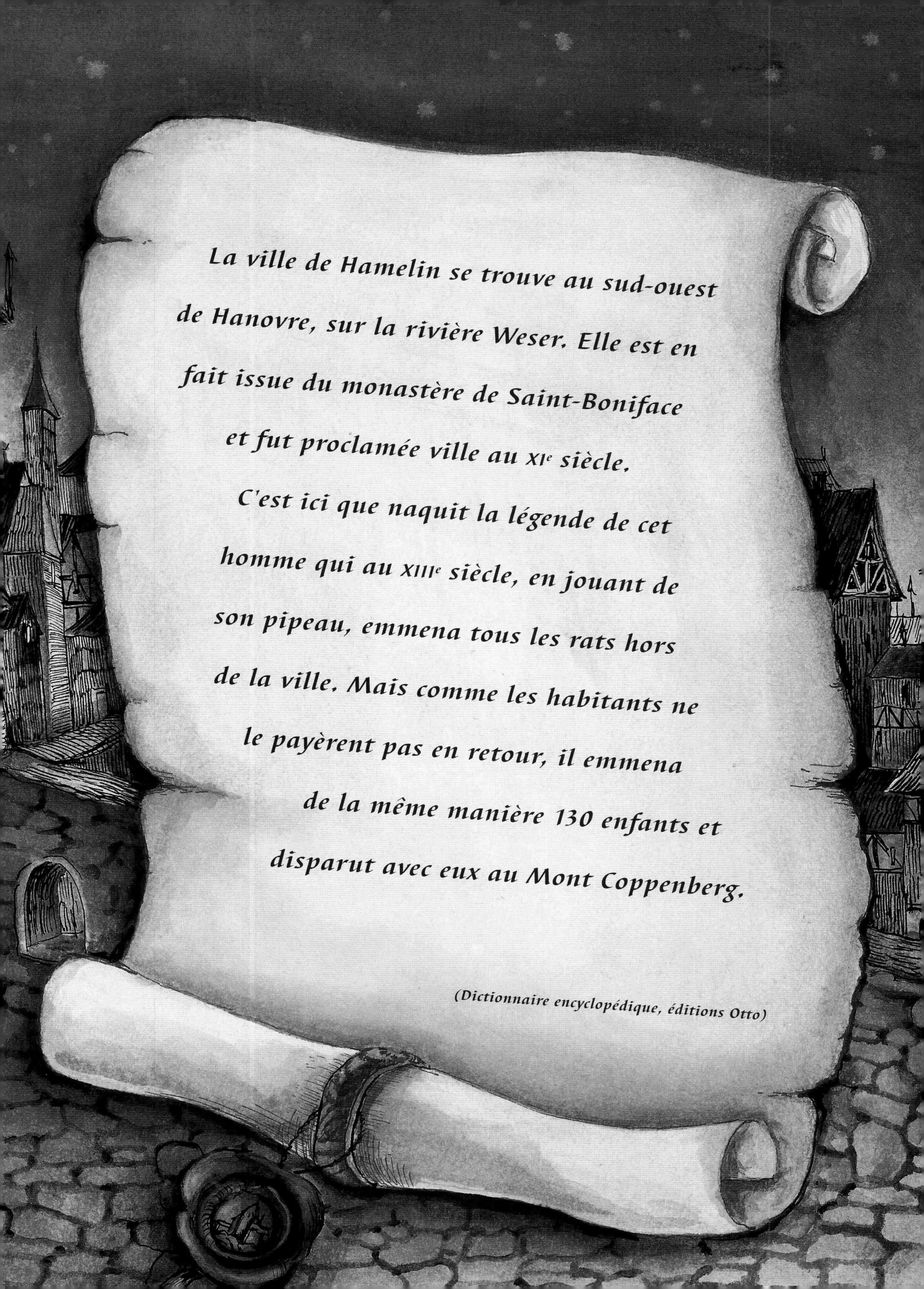

La ville de Hamelin se trouve au sud-ouest de Hanovre, sur la rivière Weser. Elle est en fait issue du monastère de Saint-Boniface et fut proclamée ville au XIe siècle.

C'est ici que naquit la légende de cet homme qui au XIIIe siècle, en jouant de son pipeau, emmena tous les rats hors de la ville. Mais comme les habitants ne le payèrent pas en retour, il emmena de la même manière 130 enfants et disparut avec eux au Mont Coppenberg.

(Dictionnaire encyclopédique, éditions Otto)

Il y a près de 700 ans, un singulier et bien cruel malheur frappa la bonne ville hanséatique de Hamelin et tourmenta ses habitants. C'est de ce malheur mais aussi de la cupidité des hommes, du manquement à la parole donnée, de la trahison et du châtiment des coupables que nous allons maintenant parler.

Dans ces temps anciens où se déroula notre histoire, la ville de Hamelin était un bourg important, habité de gens honnêtes, pour la plupart artisans et marchands. Comme il était de coutume à l'époque, la ville était entièrement entourée de remparts afin de se protéger contre ses ennemis. Cette enceinte abritait les grandes et petites maisons des habitants, un monastère, plusieurs églises et des places où se tenaient les marchés. La plus grande place s'enorgueillissait du précieux bâtiment de l'hôtel de ville où se réunissaient les conseillers avec le bourgmestre à leur tête.

Sur les remparts, comme aux portes et ponts-levis, des gardes veillaient. En contrebas des remparts, coulait une rivière peu profonde mais impétueuse, la Weser. L'eau se jetait avec fracas sur de grosses pierres, formait de dangereux tourbillons et emportait dans un grondement tout ce qui se trouvait sur son passage. Pendant les pluies du printemps, il était périlleux de tenter la traversée à gué, même si l'été, alors que les eaux étaient basses, certains audacieux y étaient parvenus. Et parfois, les charretiers raccourcissaient ainsi leur route vers la ville.

La ville de Hamelin était administrée dans la sagesse et la crainte de Dieu lorsque cette soudaine catastrophe s'abattit un jour sur elle. On ne peut pas dire qu'il n'y avait jamais eu de rats ni de souris avant, mais en 1284, les rats proliférèrent tant qu'on ne les trouvait plus seulement dans les garde-manger, les cuisines et les pièces des maisons mais ils allaient avec une audace invraisemblable, par les rues, même en plein jour, comme si rien ne pouvait leur arriver.

Les gens perdaient leurs moyens, rien n'était plus sûr. Sur les sols des maisons, dans les caves, les garde-manger et même dans les poulaillers, ils s'amusaient, faisaient ce que bon leur semblait et détruisaient tout ce qu'ils pouvaient. Il arriva même qu'ils partent en groupe voler en dehors de la ville, dans les jardins et les champs alentour. Ils dévoraient et dévastaient tout ce qui se trouvait sur leur passage.

« Si cela continue encore longtemps », se disaient les habitants de la ville « la famine s'abattra vraiment sur Hamelin car nous n'auront plus rien à manger ». Et tous réunis cherchaient un moyen de chasser les rats.

Mais ces effrontés de rats ne voulaient pas partir, ou plutôt, aucun des moyens utilisés pour les expulser n'avait été efficace. Ils mordaient les chats et les mettaient en fuite. Et de nombreux habitants subirent le même sort. Quant au poison, il restait piteusement là où il avait été répandu, peut-être parce que les rats n'étaient pas assez affamés pour même l'apercevoir.

« Qu'ont pu faire la ville et ses bons habitants, pour mériter cette funeste vengeance, ce châtiment si cruel ? » se demandaient les gens accablés. Aucun des anciens ne se souvenait d'un méfait dont la ville se serait rendue coupable par le passé. Personne

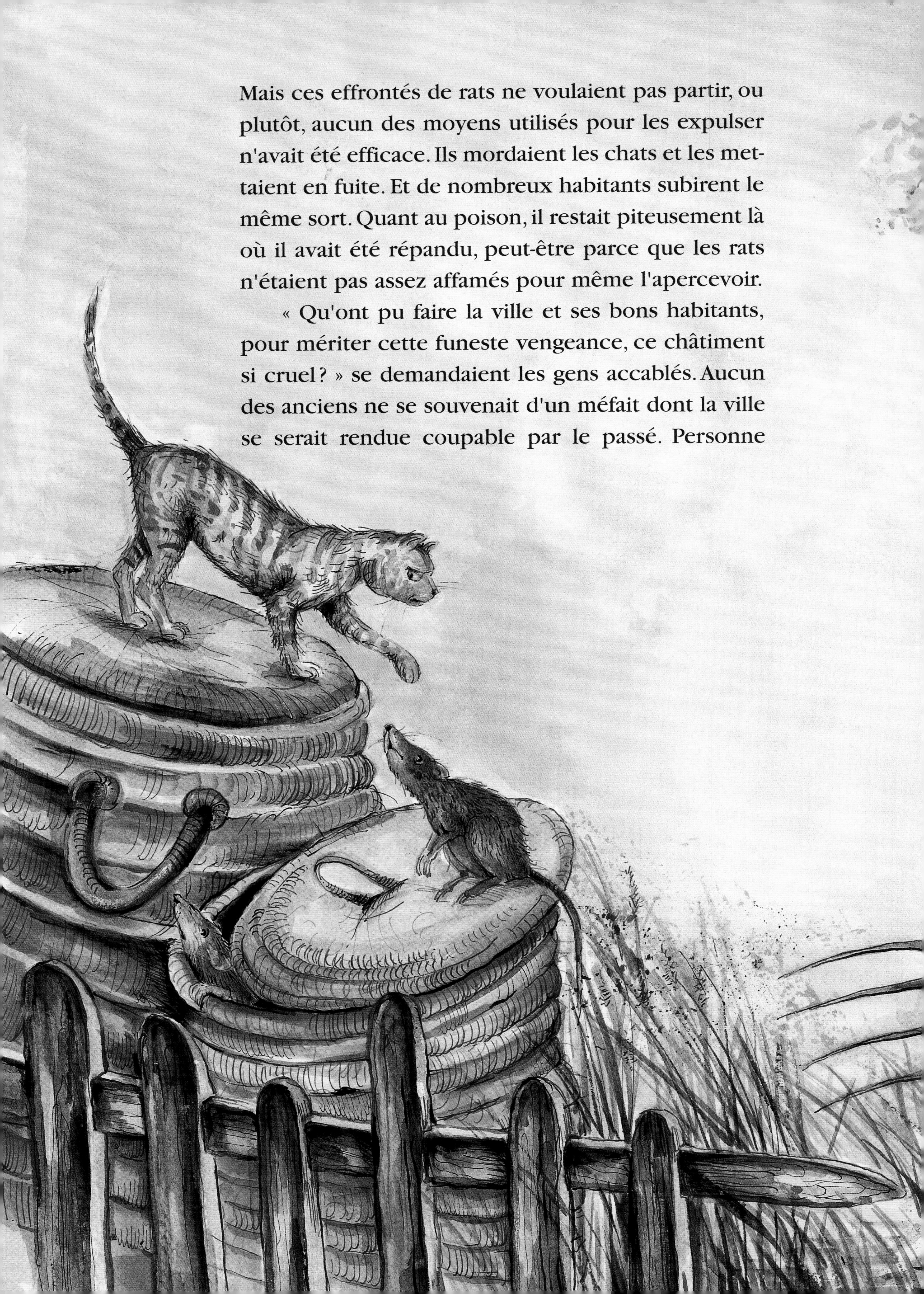

n'avait la moindre idée du pourquoi d'une telle calamité sur Hamelin, ni de ce qu'elle pouvait signifier. Personne ne savait rien, personne ne préconisait quoique ce soit, et le désespoir des gens grandissait de jour en jour. Des célébrations avaient lieu dans les églises. Les suppliants s'y frappaient la poitrine, imploraient Dieu de mettre fin à leurs souffrances et priaient pour leur salut, pour que la ville et ses habitants soient libérés de ces ennemis sans pitié.

Tous les jours, le conseil municipal se réunissait à l'hôtel de ville et les échevins se cassaient la tête pour savoir comment venir à bout de ce fléau, comment chasser les rats de la ville. Ils examinaient le problème dans tous les sens mais ne trouvaient pas de solution. Tout semblait vain. Finalement, l'un des anciens dignitaires de la ville eut l'idée de lancer un avis à la population et de placarder des affiches annonçant que celui qui délivrerait la ville du joug des rats, recevrait une bourse d'écus d'or et la main de la jeune et belle fille du bourgmestre. Quel mortel pouvait souhaiter davantage? Les conseillers municipaux finirent par y consentir.

Dans toute la ville et ses lointains environs, on posa des affiches et lança des avis au son du tambour pour rendre publique la proposition du conseil de Hamelin et la récompense promise pour l'anéantissement des rats. Les habitants de la ville mise à l'épreuve attendaient avec impatience celui qui répondrait à l'avis, le volontaire qui se résoudrait à libérer la ville du fléau.

Deux jours passèrent sans aucune réponse. Mais le troisième, enfin, le libérateur apparut. C'était le 24 avril 1284. Le joueur de flûte arriva devant les portes de la ville, frappa et demanda à entrer. Il jouait sans cesse sur son pipeau dont il tirait des sons étranges, comme des sifflements et des sons de cloches. Curieux, tous les habitants de Hamelin s'entassèrent sur les remparts pour voir ce qu'il allait se passer. Or, pour l'instant, il ne se passait rien.

L'homme pénétra alors dans la ville. Vêtu différemment des gens du pays, il était grand et mince avec de longs cheveux foncés et un chapeau sombre qui encadraient son visage hâlé. Il portait un long manteau d'où pendaient de nombreuses ficelles et cordes, une ceinture serrait ses fines hanches. Il avait un étroit chapeau pointu à large bord qui lui cachait presque la moitié du visage. Dans l'ombre du chapeau, on pouvait voir cependant un beau visage encore

jeune, aux traits réguliers, dont le regard gardait une expression sauvage. L'étranger tenait dans la main un long pipeau magique dont il ne se séparait jamais. Il alla directement à l'hôtel de ville, comme s'il avait déjà habité à Hamelin, qu'il connaissait bien et qu'il rentrait chez lui.

Dès qu'il se trouva dans la salle d'audience devant les honorables conseillers, il se mit à parler sans peur et sans gêne :

– Chers messieurs, je suis venu à votre demande, pour délivrer la ville des rats et des souris. Mais avant que je ne le fasse, je suis venu m'assurer que vous donnerez vraiment ce que vous avez promis dans votre avis.

Les conseillers regardaient cet étranger qui se tenait devant eux et chacun essayait de deviner les pensées de l'autre. L'hôte audacieux ne plut en réalité à aucun d'entre eux. Et puis, la fille du bourgmestre était si douce et si belle. Devaient-ils la donner à cet étrange joueur de flûte ? Cependant ils ne pouvaient reculer.

Ils n'avaient plus le choix. Chacun d'eux savait très bien que ces rats n'avaient rien d'une farce. Souris et rats devenaient déjà maîtres de la situation et ils finiraient par manger tout Hamelin. S'en débarrasser était une priorité. Aussi, après un instant de débat agité, l'un des conseillers se leva et dit :

– Nous verrons. Si tu fais ton travail et que nous en sommes satisfaits, et si nous voyons que tu as accompli ta tâche, que tu nous

débarrasses réellement de tous les rats et souris, alors oui, nous aussi, nous tiendrons parole.

L'étranger recula d'un pas, ôta son chapeau et s'inclina :

– Voilà qui est bien. Chers messieurs, préparez ma récompense, demain je viendrai la chercher.

À ces mots, il tourna les talons et sortit de la salle sans un mot de plus.

Messieurs les conseillers, honorables ou non, se précipitèrent aux fenêtres pour le voir sortir dans la rue. Puis ils revinrent à leur place et secouèrent la tête en signe de désaccord :

– Quelle espèce de garnement ! Qui sait d'où il vient ? Il a encore de la paille dans les chaussures. Un mal élevé qui ne sait même pas saluer… et la fille du bourgmestre est une jeune demoiselle si gentille et si douce, une fille au teint si tendre.

Mais pendant ce temps, le joueur de flûte allait déjà par les rues, son pipeau aux lèvres. Il jouait si bien, si doucement, une mélodie si tendre et attrayante, qu'une crainte sacrée glaçait le cœur de tous ceux qui l'entendaient. Le musicien jouait avec une telle puissance que tous les rats et les souris sortirent de leur refuge et comme abrutis, se rangèrent derrière lui en masse, afin de suivre les sons étranges, languissants et saisissants du pipeau.

Le joueur de flûte parcourut ainsi la ville, toutes ses rues et ses places, dans tous les sens. Parfois, il allait plus lentement, à d'autres moments, il accélérait le pas. Mais jamais, il ne s'arrêtait à quelque endroit. L'étrange cortège de souris et de rats le suivait. À chaque fenêtre, les gens regardaient et assistaient à ce spectacle peu ordinaire. La multitude de souris et de rats les fascinait. Le pipeau résonnait toujours plus fort, expressif et bouleversant. Après être passé dans les recoins les plus reculés de la ville, avoir regardé dans toutes ses ruelles et ses coins sombres, l'étranger partit vers la grande porte de la ville, la passa et continua sur le chemin de la rivière Weser.

Il ne s'arrêta pas même sur la rive et, sortant toujours des sons plus pressants de son pipeau, il entra dans le lit de la rivière. L'eau tourbillonnait avec violence autour du joueur de flûte.

Des flots d'écume sautaient par-dessus les pierres en grondant et le courant frappait les jambes du joueur de flûte, arrachait ses vêtements et tentait de le faire tomber. Le musicien chancela plusieurs fois mais il tint bon, son pipeau fermement serré entre ses lèvres. Il continuait de jouer et dans un sifflement qui recouvrait même le bruit des rapides vrombissants, il arriva jusqu'au milieu de la rivière. Là, il s'arrêta et attendit. Les multitudes de souris et de rats se jetèrent sans réfléchir depuis la rive escarpée dans la rivière, à la suite du joueur et de son pipeau. Ils se retrouvèrent dans les eaux vives entre les blocs de pierres, dans les tourbillons qui les emportèrent vers la mort.

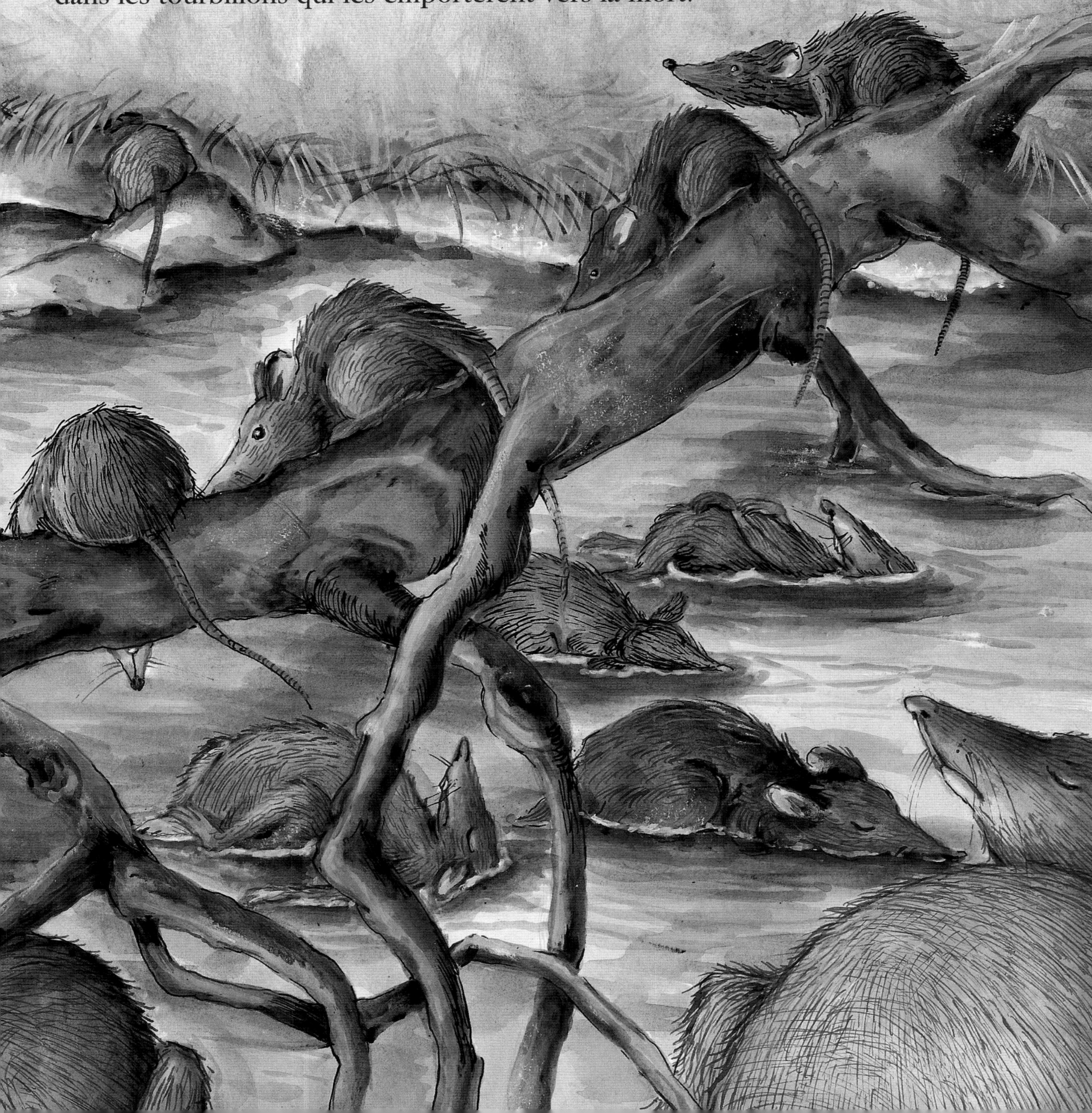

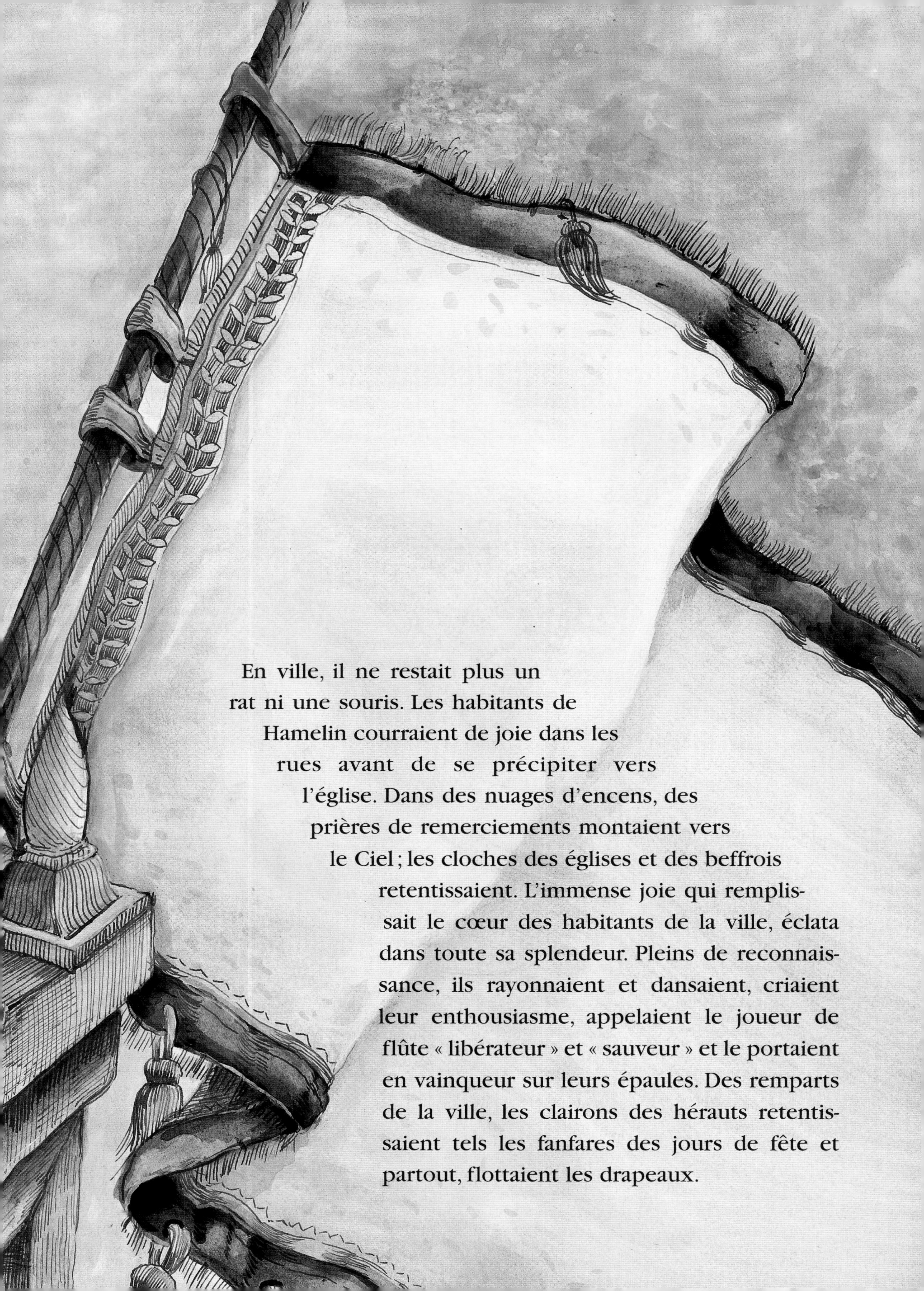

En ville, il ne restait plus un rat ni une souris. Les habitants de Hamelin courraient de joie dans les rues avant de se précipiter vers l'église. Dans des nuages d'encens, des prières de remerciements montaient vers le Ciel ; les cloches des églises et des beffrois retentissaient. L'immense joie qui remplissait le cœur des habitants de la ville, éclata dans toute sa splendeur. Pleins de reconnaissance, ils rayonnaient et dansaient, criaient leur enthousiasme, appelaient le joueur de flûte « libérateur » et « sauveur » et le portaient en vainqueur sur leurs épaules. Des remparts de la ville, les clairons des hérauts retentissaient tels les fanfares des jours de fête et partout, flottaient les drapeaux.

Seules les fenêtres de l'hôtel de ville restaient closes et silencieuses afin que le tumulte de la place n'entrât pas à l'intérieur. Le bourgmestre et ses conseillers se morfondaient autour de la table de réunion. La tête dans les mains, ils pensaient à la récompense que, dans leur peur, ils avaient promise et que le joueur de flûte viendrait réclamer. Mais comme ils étaient libérés de l'affreuse calamité, ils voyaient maintenant les choses bien différemment. Ils avaient devant les yeux cet étranger, inquiétant et décharné, qui jouait d'un pipeau magique et dont personne ne savait d'où il venait. Ils imaginaient alors la jolie fille du bourgmestre, cette fille au teint si tendre, à ses côtés. Elle mériterait, sans aucun doute, un meilleur parti. Non, ces deux-là n'étaient pas faits l'un pour l'autre.

– Quel fait majeur a commis cet étranger pour mériter une telle récompense ? demanda finalement le premier des conseillers, disant ainsi à haute voix ce que tous pensaient.

– Il a fait ce qu'il avait promis, il a libéré la ville de son fléau, répondit un vieil homme en bout de table avec simplicité et vérité. Avec une flûte, un fifre, c'est vraiment du grand art ! À chaque travail, sa récompense !

– Il n'a même pas travaillé, il n'a fait que siffler et jouer. Personne ne peut considérer le fait de siffler et de jouer comme du travail. Il ne mérite aucune récompense, dit son voisin en colère.

– Non, vraiment, notre respectable ville commettrait une faute si nous abandonnions si facilement notre plus belle fille et notre or ! jugea un autre conseiller en se levant de sa chaise.

– La parole donnée est sacrée et elle doit être tenue. Celui qui la renie sera maudit ! prévint de nouveau le vieil homme.

– C'est bien à vous de donner des leçons, maître Ours, ce n'est pas votre fille qui doit devenir la femme du joueur de flûte, et ce n'est même pas avec votre or que doit être payée la récompense ! cria le bourgmestre en colère en pointant son doigt sur le vieil homme.

– Laissez-le, monsieur le bourgmestre, dit le conseiller qui avait parlé avec le joueur de flûte. Nous ne devons rien à cet homme, nous tiendrons notre parole même en le renvoyant les mains vides. Rappelez-vous ce que je lui avais dit : « si nous voyons que tu as réussi, que tu as fait ton travail avec soin, que tu as accompli ta tâche alors nous tiendrons parole ». Pourtant, bien qu'il nous ait débarrassés des souris et des rats, nous ne pouvons pas accepter, parce qu'en vérité, il n'a rien fait. Il n'a fait que siffler et jouer du pipeau. Et ceci ne peut être considéré comme du travail. Tous les enfants savent jouer. Il n'a rempli nos conditions qu'à moitié, et nous ne lui devons aucune récompense.

– Oui, c'est vrai, messieurs, c'est ainsi que cela s'est passé ! crièrent les conseillers avec enthousiasme, et tous, sauf maître Ours, se levèrent de leur siège en applaudissant. Seul le vieil homme resta assis, sans mot dire et l'air soucieux, comme s'il pressentait un malheur. Il secouait sa tête blanche en signe de désaccord. Mais aucun des conseillers ne le

remarqua. Ils ne se préoccupaient plus de cette histoire.

Pendant ce temps, la lumière du jour avait décliné, le crépuscule descendait sur la ville et la nuit tomba. Les badauds et les bonnes gens de Hamelin avaient quitté les rues et leur poste aux fenêtres pour se ruer dans les auberges où les ripailleurs fêtaient déjà l'anéantissement des rats.

Le joueur de flûte se rendit aussi à l'auberge en face de l'hôtel de ville. Mais la bienveillance des habitants avait disparu. Ils le regardaient à la dérobée, avec crainte et animosité, observaient avec un sourire moqueur comme il se tenait assis à part, son pipeau posé sur le banc. Et pour ne pas se compromettre, personne n'alla s'asseoir à ses côtés, personne ne lui adressa la parole. Le joueur de flûte s'obscurcit, un éclair de reproche jaillit de ses yeux sauvages. Et pour le dompter aussitôt, il se leva et partit se coucher.

Lorsque le matin suivant, le joueur de flûte arriva devant l'assemblée des conseillers pour recevoir son dû, il lui fut gentiment et clairement transmis qu'il n'en recevrait pas. Les conseillers lui offrirent une récompense qui l'accabla. À la place d'une bourse

d'écus d'or et de la fille du bourgmestre, il n'eut que moqueries et refus. Il était venu chercher une récompense, mais il ne s'attendait pas à celle-là ! Et il se tenait là, devant ces messieurs les conseillers, pâle et résolu.

– C'est une infamie, une trahison et une insulte. Ne savez-vous donc pas tenir parole ? C'est moi qui ai raison.

– Que nous parles-tu de raison ! Nous te l'avons clairement et définitivement expliqué. La seule question qui se pose est de savoir si nous ne ferions pas mieux de t'expulser au-delà des frontières de la ville. Ou peut-être devrions-nous plutôt préparer un bûcher, t'y attacher et t'y brûler, car de ton pipeau sortent des sons diaboliques. Nous ne pouvons nier, cependant, que tu as rendu un bon service à la ville, que tu l'as débarrassée des souris et des rats. Alors prends ce sac de pièces et remercie-nous de notre bonté et de notre générosité, dit le bourgmestre qui

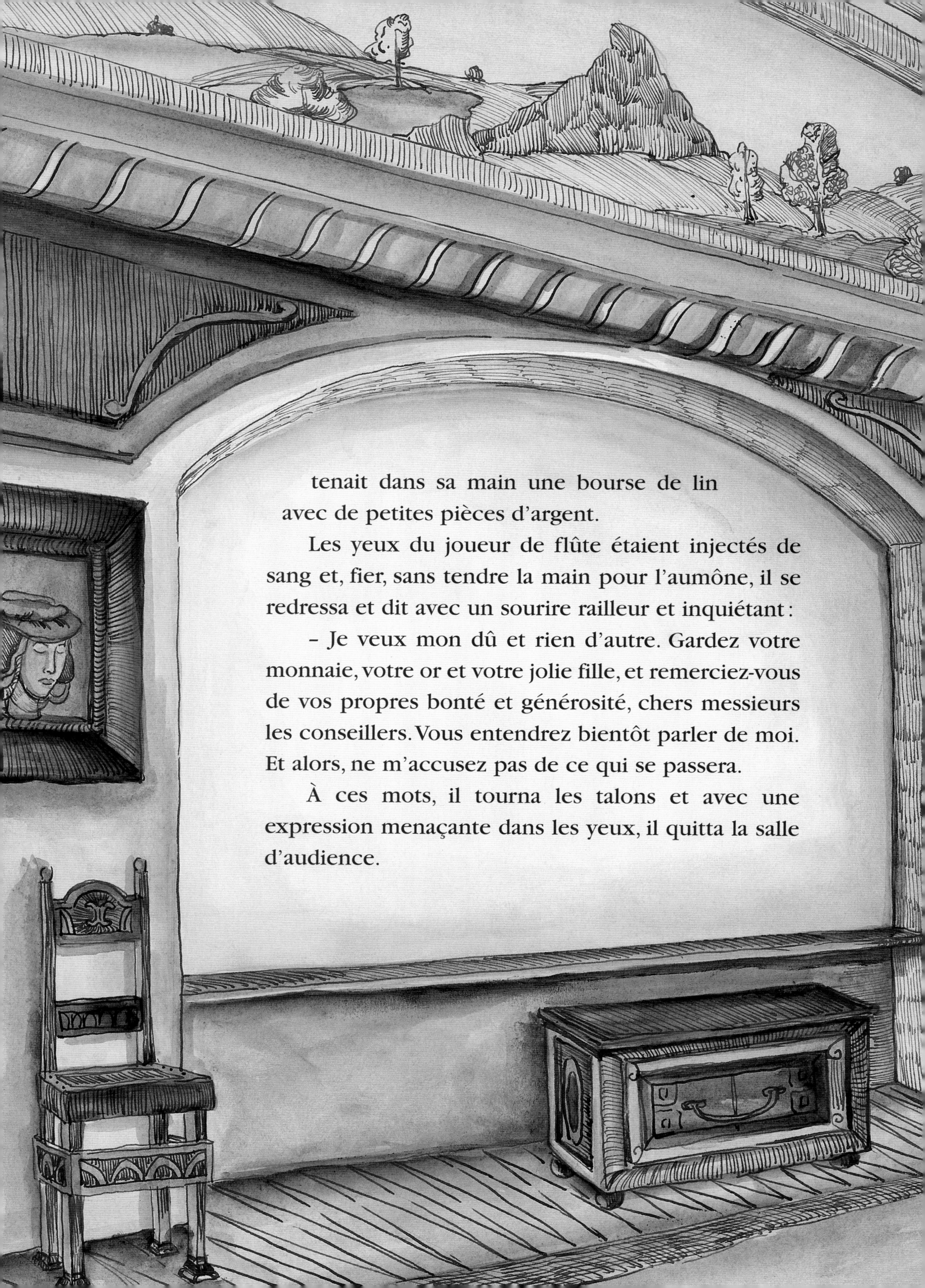

tenait dans sa main une bourse de lin avec de petites pièces d'argent.

Les yeux du joueur de flûte étaient injectés de sang et, fier, sans tendre la main pour l'aumône, il se redressa et dit avec un sourire railleur et inquiétant :

– Je veux mon dû et rien d'autre. Gardez votre monnaie, votre or et votre jolie fille, et remerciez-vous de vos propres bonté et générosité, chers messieurs les conseillers. Vous entendrez bientôt parler de moi. Et alors, ne m'accusez pas de ce qui se passera.

À ces mots, il tourna les talons et avec une expression menaçante dans les yeux, il quitta la salle d'audience.

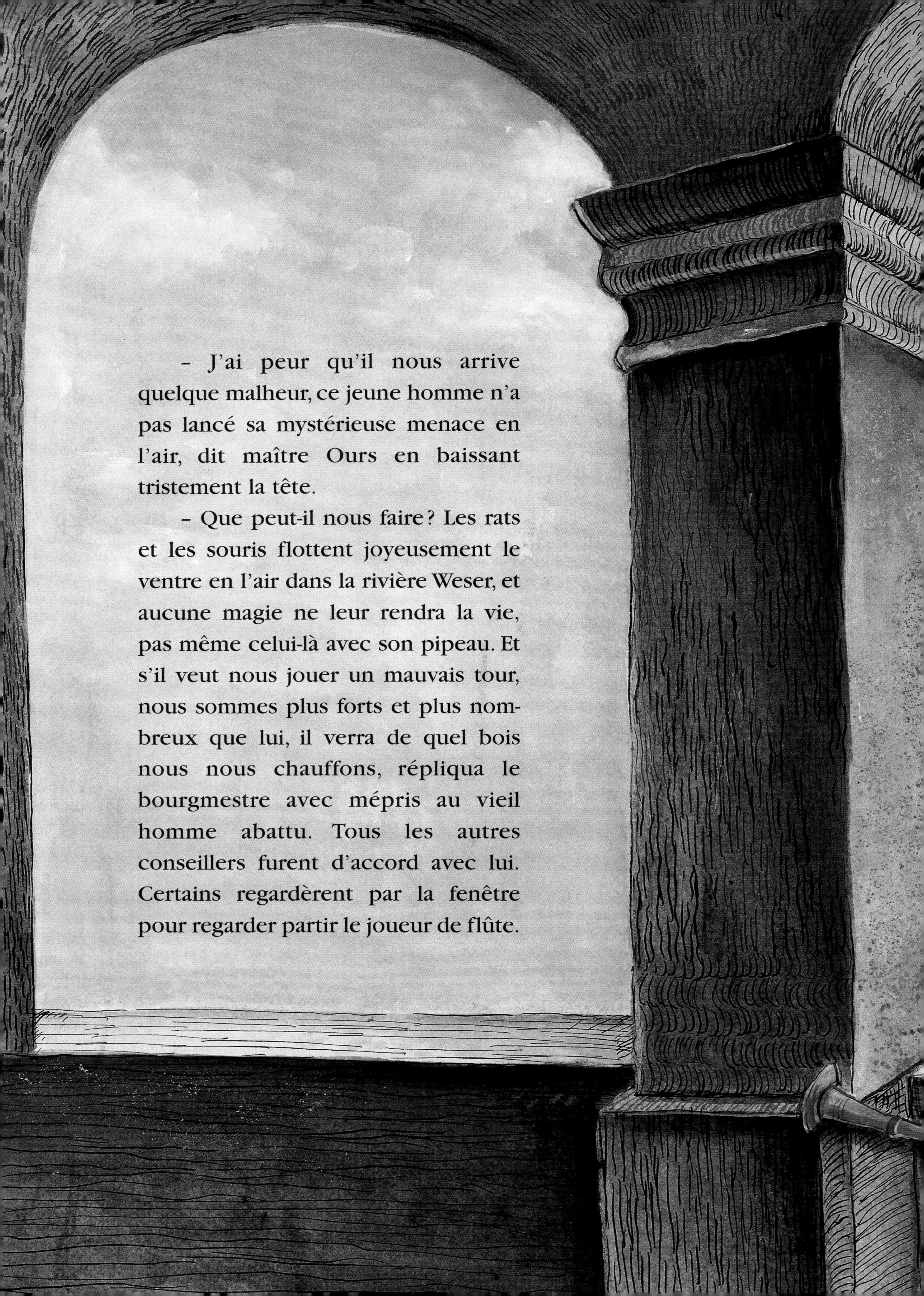

– J'ai peur qu'il nous arrive quelque malheur, ce jeune homme n'a pas lancé sa mystérieuse menace en l'air, dit maître Ours en baissant tristement la tête.

– Que peut-il nous faire ? Les rats et les souris flottent joyeusement le ventre en l'air dans la rivière Weser, et aucune magie ne leur rendra la vie, pas même celui-là avec son pipeau. Et s'il veut nous jouer un mauvais tour, nous sommes plus forts et plus nombreux que lui, il verra de quel bois nous nous chauffons, répliqua le bourgmestre avec mépris au vieil homme abattu. Tous les autres conseillers furent d'accord avec lui. Certains regardèrent par la fenêtre pour regarder partir le joueur de flûte.

Ce dernier sortit d'un pas rapide de l'hôtel de ville. Il ne se retourna qu'une fois et manifestant son indignation, il menaça du poing en direction des fenêtres de l'hôtel de ville, avant de continuer sa marche vers les portes de la ville.

Il passa la porte, le pont-levis et se dirigea vers la lointaine montagne de Coppelberg. On vit encore un instant, depuis les portes de la ville, sa haute et mince silhouette avancer avec résolution dans la vallée, avant de se perdre entre les arbres.

Les jours suivants, le joueur de flûte ne se montra pas dans la ville de Hamelin et les conseillers municipaux se confortaient mutuellement à l'idée qu'il était parti pour toujours.

Mais ils se trompaient. Un matin, il apparut dans les rues, traversa le marché et se tint devant la maison du bourgmestre. Il porta alors le pipeau à ses lèvres et dans l'instant, un sifflement accompagné d'un son de cloche retentit, plus gracieux, beau et charmant que lorsqu'il était venu en ville pour la première fois. Sa musique était une plainte angoissée, une chanson d'amour passionnée, une supplique, et laissait dans l'âme de tous ceux qui l'entendaient, une frayeur et un désir ardent.

Les sons pénétraient dans la chair de chacun, les gens frissonnaient d'émotion et d'une mystérieuse crainte. Curieusement cependant, cette magie affecta d'abord les enfants. Ils accouraient de tous côtés vers le musicien à l'appel du pipeau. Et parmi les premiers enfants, était sortie, comme dans un rêve, l'unique fille du bourgmestre, la fille au teint si tendre. À sa suite, sans porter gare

aux appels des mères et des nourrices, toujours plus d'enfants arrivaient. Grands et petits, filles et garçons, comme les rats et les souris précédemment, ils suivaient le joueur de flûte, allaient là où les emmenaient les sons enchanteurs de son pipeau. Le joueur de flûte parcourut toute la ville, toutes les rues et les places, dans tous les sens, avec une foule grandissante d'enfants sur ses pas.

Personne n'osa se mettre sur son chemin. Par crainte, personne même ne l'interpella. Quand il eut fait le tour de la ville, qu'il eût regardé dans les moindres recoins et semé partout la panique avec son pipeau, il sortit de la ville et partit en direction du Mont Coppelberg qui s'élevait au loin.

Le joueur de flûte jouait toujours plus fort et charmait toujours davantage les enfants de son sifflement afin qu'ils le suivent sur la route. Une multitude de garçons et de filles se dirigeait ainsi avec lui vers le Mont Coppelberg.

Une large faille noire qu'aucun des habitants de Hamelin n'avait jamais vue ni même soupçonnée, s'ouvrit alors dans la montagne. Le joueur de flûte se dirigea directement sur elle, tout en continuant de jouer et toujours suivi de son cortège. Avec tous les enfants, il s'engouffra dans la montagne, dans ce tombeau de pierre sombre. Et dans un grondement, la montagne se referma sur le dernier d'entre eux. Le sifflement cessa.

Depuis ce jour, on ne vit plus aucun enfant dans la ville ni sur la route. Les parents, sortis de la torpeur soudaine dans laquelle les avait plongés le son du pipeau, se précipitèrent comme des fous en dehors de la ville en direction du Mont Coppelberg mais la faille s'était refermée sans laisser la moindre trace des enfants. Tous étaient partis, seule la nièce du vieux maître Ours se tenait assise dans l'herbe à côté du pont-levis et pleurait.

Des nuages d'encens portaient de nouveau vers le Ciel des prières pour les enfants morts et perdus. Les cloches des églises, des beffrois et du monastère sonnaient tristement dans tout le pays. Les plaintes douloureuses des parents résonnaient et gémissaient dans le vent qui les emportait loin de la ville. Le perfide bourgmestre et ses malins conseillers étaient réunis à l'hôtel de ville. Ils restaient plongés dans leurs pensées. Les conseillers, minés, n'osaient même plus rentrer chez eux et croulaient sous le poids des remords dont les accablaient les malheureux parents dépossédés de leurs bien-aimés enfants.

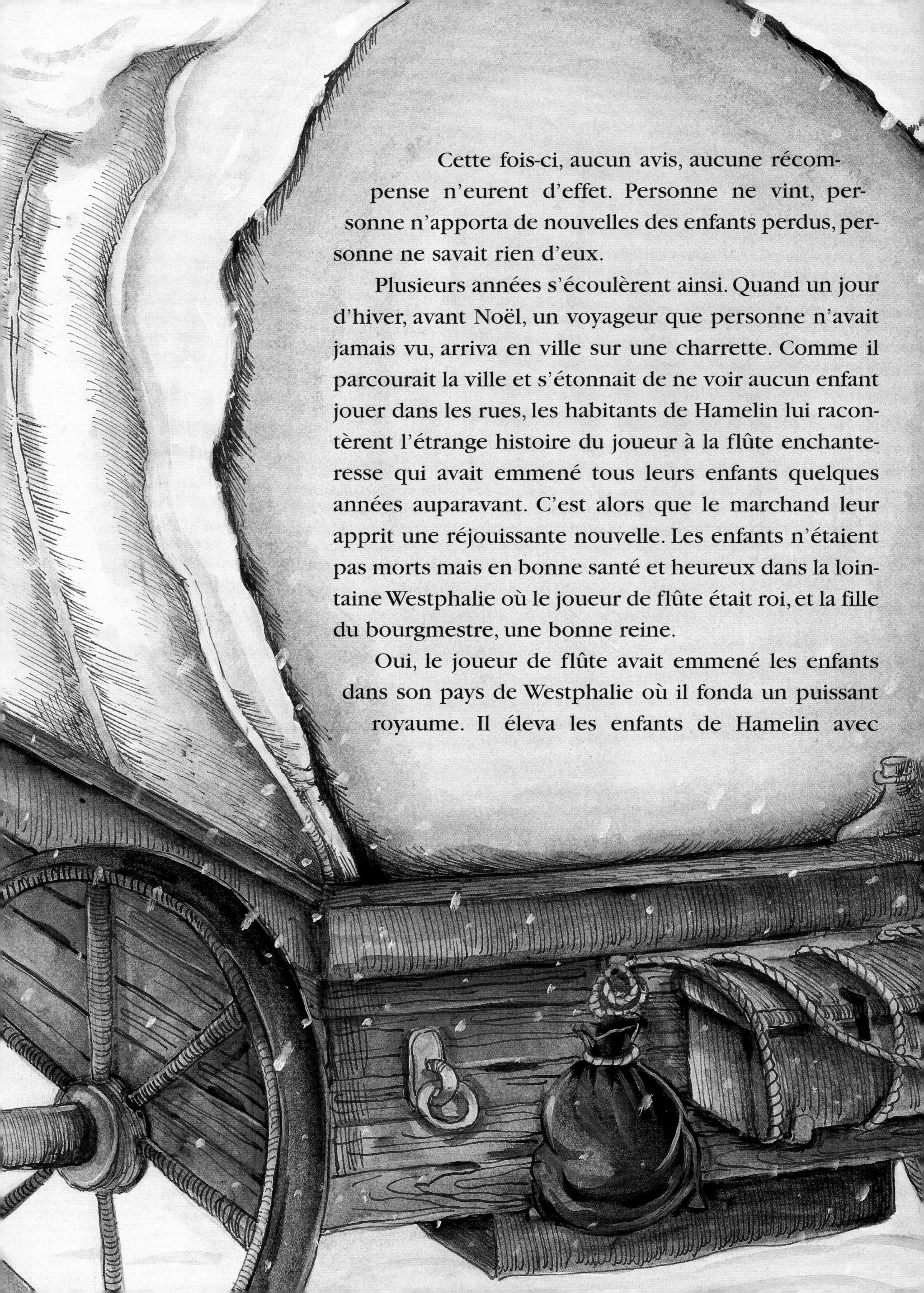

Cette fois-ci, aucun avis, aucune récompense n'eurent d'effet. Personne ne vint, personne n'apporta de nouvelles des enfants perdus, personne ne savait rien d'eux.

Plusieurs années s'écoulèrent ainsi. Quand un jour d'hiver, avant Noël, un voyageur que personne n'avait jamais vu, arriva en ville sur une charrette. Comme il parcourait la ville et s'étonnait de ne voir aucun enfant jouer dans les rues, les habitants de Hamelin lui racontèrent l'étrange histoire du joueur à la flûte enchanteresse qui avait emmené tous leurs enfants quelques années auparavant. C'est alors que le marchand leur apprit une réjouissante nouvelle. Les enfants n'étaient pas morts mais en bonne santé et heureux dans la lointaine Westphalie où le joueur de flûte était roi, et la fille du bourgmestre, une bonne reine.

Oui, le joueur de flûte avait emmené les enfants dans son pays de Westphalie où il fonda un puissant royaume. Il éleva les enfants de Hamelin avec

le même soin et le même amour que ceux que la fille du bourgmestre lui donna par la suite. Tous grandirent et devinrent des bonnes gens qui vécurent longtemps dans le bonheur et la joie. Les descendants des enfants de Hamelin sont encore aujourd'hui des gens pleins de bonté, cultivés et loyaux pour qui la parole donnée demeure sacrée, qu'elle soit donnée à l'étranger ou au mendiant en guenilles.

Ils vivent dans l'harmonie et le bonheur dans ce pays que tous connaissent sous le nom de Westphalie.